Je te sauverai !

Éric Simard
Vincent Dutrait

MAGNARD

QUE D'HISTOIRES !

D1400681

Ce roman est également publié
dans la collection «Les p'tits Intrépides»,
animée par Jack Chaboud,
aux éditions Magnard *Jeunesse*.

à toutes celles et tous ceux qui ont lutté
*contre la marée noire de l'*Érika.

© Éditions Magnard, 2001 - Paris

© Éditions Magnard, 2002 - Paris
pour la présente édition.

Dépôt légal : février 2002 - N° d'éditeur : 2002/121
Imprimé par Pollina s.a., 85400 Luçon - n° L86076-A

Un oiseau, libre comme le vent, vole au-dessus de l'océan. Il se dit:

Je vois quelque chose de sombre à la surface de l'eau, sûrement un banc de poissons… Je vais me régaler! Une, deux... je plonge!

Mais... Que m'arrive-t-il? Ce ne sont pas des poissons. Mes ailes sont lourdes, tout d'un coup... Je ne peux plus bouger. Une boue noire colle mes plumes. J'en ai plein le bec. Mes frères et mes sœurs sont comme moi. L'un d'eux coule à pic! Que nous arrive-t-il? Au secours!

1

Dimanche 12 décembre, le naufrage

« DRIIIIIIIING ! DRIIIIIIING ! » Le téléphone n'arrête pas de sonner. Alan[1] se retourne dans son lit et saisit le réveil.

Huit heures trente du matin ! Le garçon passe les vacances de Noël avec Annick, sa mère, dans leur maison de

1. Alan est un prénom breton qui se prononce « Alane ».

5

Belle-Ile, au sud de la Bretagne. Il est rare qu'ils soient dérangés de si bonne heure. L'enfant descend dans le salon et surprend sa mère raccrochant le téléphone.

« Alan! lance-t-elle, bouleversée. Je viens d'apprendre de mauvaises nouvelles. Approche... On va écouter les informations! »

Elle est en robe de chambre. Ses yeux sont cernés et ses cheveux ébouriffés.

« Alerte au large de la Bretagne! grésille la radio. Le pétrolier *Érika*, qui était en difficulté cette nuit, vient de se briser en deux. Des hélicoptères tentent de sauver l'équipage. Sa cargaison de fioul commence à se déverser dans l'océan. Les côtes bretonnes sont menacées par une marée noire... »

Annick est rouge de colère.

« Tu as entendu ça ? Si les nappes de pétrole atteignent Belle-Ile, ce sera une catastrophe. »

Alan ne répond pas. Alan ne parle pas. Depuis très longtemps. Il n'est pas sourd. Il comprend les paroles des autres mais les mots restent enfermés dans son corps.

« Alan a un blocage », répètent tous les spécialistes.

Annick a dû apprendre la langue des signes pour communiquer avec son fils. Mais Alan, même avec les mains, s'exprime très rarement.

De toute façon, Alan n'a que dix ans, et une marée noire, il ne sait pas encore à quoi ça ressemble...

2

Mercredi 22 décembre, découverte d'un oiseau

DEPUIS CINQ JOURS, des oiseaux mazoutés viennent s'échouer sur Belle-Ile. Les habitants de l'île sont inquiets. Ils espèrent que les nappes de fioul n'atteindront pas leurs plages.

« Alan, mets ton anorak ! crie Annick. On va faire un tour du côté des criques. »

Une demi-heure plus tard, la voiture s'arrête en bordure d'un chemin côtier. Le vent souffle si fort qu'il est difficile d'ouvrir les portières.

« Regarde ! s'exclame Annick. David est là ! »

David est chargé de surveiller les côtes de l'île.

« On a déjà ramassé une centaine d'oiseaux mazoutés depuis ce matin, dit-il. Surtout des guillemots de Troïl[1]. Tiens, Alan... Prends ce grand chiffon. Si tu trouves un oiseau, place-toi entre lui et les vagues pour l'empêcher de retourner à la mer. Puis jette le chiffon sur lui. Tu verras, il ne bougera plus. »

Alan court à toute vitesse sur la plage malgré la force du vent.

« Attends-moi ! » hurle Annick.

La mer est très agitée. Les oiseaux sont peu nombreux dans le ciel.

1. Oiseaux marins, excellents nageurs et plongeurs.

Soudain, Alan aperçoit un petit corps noir et gluant battant maladroitement des ailes. Il attend que les vagues déposent l'animal sur le sable pour se poster entre lui et l'océan. Ça marche. L'oiseau a peur de l'enfant et s'éloigne en direction des dunes. Le fioul visqueux qui recouvre son corps l'empêche de marcher normalement. Il titube et tombe la tête en avant. Alan s'approche doucement. L'animal n'est plus qu'à un mètre. Il essaie de se redresser... en vain.

Alan réussit à lancer le grand chiffon sur lui. Puis il soulève doucement le tissu et observe l'oiseau. Ses petits yeux sont à peine visibles à travers le mazout. Il doit souffrir atrocement.

Comment a-t-il pu atteindre la côte dans cet état? Il ferme ses paupières de temps en temps, comme s'il voulait dormir... Il veut peut-être se laisser mourir?

Au fond de lui, Alan prie pour que l'oiseau ne meure pas. L'animal fixe alors le visage de l'enfant...

Qui est ce petit homme qui s'est jeté sur moi ? Il veut me dévorer ? Je suis complètement épuisé. Je n'aurais pas dû essayer de m'enfuir quand il s'est approché. J'ai gaspillé mes dernières forces. Je sens la chaleur de ses mains. Peut-être que, finalement, il ne va pas me faire mal... Peut-être que ça vaut le coup de résister encore un peu à cette boue noire qui m'étouffe... J'ai faim, j'ai froid... Je t'en supplie, petit homme... aide-moi !...

Annick arrive et demande :
« C'est un guillemot ? »
Alan lui répond dans la langue des signes : « C'est Jonathan ».

3

À la clinique des oiseaux

ALAN ET ANNICK arrivent à la Maison de la nature de Le Palais, la ville principale de Belle-Ile. Plusieurs personnes sont occupées à trier des cartons.

«Salut Jean, lance Annick à l'un des responsables.

— Salut Annick... On est débordés! Tu apportes un oiseau?

— Oui. C'est Alan qui l'a trouvé! Il a décidé de l'appeler Jonathan. »

Jean a bien connu, autrefois, le père d'Alan. Il est le conservateur de la réserve naturelle de l'île. Il ouvre le carton et inspecte l'oiseau.

« Il est stressé. On va le laisser tranquille. »

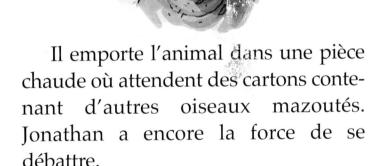

Il emporte l'animal dans une pièce chaude où attendent des cartons contenant d'autres oiseaux mazoutés. Jonathan a encore la force de se débattre.

« Il n'a jamais vu d'humains d'aussi près, explique Jean. Il est terrifié. »

Alan s'inquiète. Il s'approche du carton où Jonathan est enfermé et l'entoure de ses bras.

« Alan s'est attaché à l'oiseau, explique Annick. Je crois qu'il voudrait s'occuper de lui. Y a-t-il un moyen de le reconnaître parmi les autres ?

— Ces oiseaux ont une toute petite chance de s'en sortir, explique Jean. Personne ne sait pour l'instant comment les démazouter. On peut juste les nourrir et leur donner des médicaments pour qu'ils tiennent le coup. »

Alan sert le carton encore plus fort.

« Tu vois ! Il veut vraiment s'occuper de son guillemot », insiste Annick.

Jean est embarrassé :

« Comprends-moi, Alan. Les oiseaux qui arrivent ici sont presque tous condamnés à mourir. »

L'enfant le tire par la manche. Annick hoche la tête.

« Très bien, soupire Jean. Puisque ta mère est d'accord... »

Il ouvre un tiroir et choisit une bague multicolore.

« On va prendre celle-ci. »

Puis il ouvre le carton, y plonge ses mains gantées et manipule l'oiseau pendant quelques secondes. Jonathan l'observe en frémissant...

On m'a mis dans une prison ! C'est chaud mais je ne peux pas écarter mes ailes. Le produit noir et gluant tout autour de mon corps me fait mal. J'essaie de l'enlever

avec mon bec, mais je m'en mets partout.
J'en avale même !

Un homme m'a pris une patte et l'a
entourée avec quelque chose de dur que je
n'arrive pas à défaire. Qu'est-ce que ça
peut être ? Je veux revoir mes frères, mes
sœurs, la mer... Je voudrais tant les revoir !
J'ai peur...

« Ça y est, s'exclame Jean. Il est
bagué. »

Alan pose délicatement sa main sur
la tête de l'oiseau et caresse son pluma-
ge goudronné pour calmer ses peurs.

4

Les premiers soins

ANNICK EST REPARTIE à la maison. Pendant ce temps, Jean propose à Alan de l'aider à nourrir son oiseau :

« Tu vas enfiler ces gants en plastique et tenir le guillemot bien fermement. »

Il sort Jonathan du carton et le tend à l'enfant. Alan sent le petit cœur de son ami battre très vite.

« Première opération: j'ouvre son bec avec mes doigts sans me faire pincer... et je retire le mazout avec un petit papier. Regarde tout ce que j'enlève! »

Il montre à Alan le papier devenu noir.

« Deuxième opération: le gavage. L'oiseau est trop épuisé pour se nourrir tout seul. On va lui donner de la nourriture. »

Jean attrape un tuyau en plastique avec une seringue au bout. Il appelle ça une « sonde ». Il enduit le tuyau d'huile de paraffine pour qu'il entre bien dans le cou de l'oiseau. Puis il le remplit de soupe de poisson. Enfin, d'une main, il ouvre le bec de Jonathan.

« J'enfonce la sonde jusqu'au jabot et ensuite j'injecte la soupe en appuyant sur la seringue. »

Alan est impressionné par la longueur du tuyau. Il serre Jonathan pour qu'il ne s'échappe pas. Mais l'oiseau ne bouge pas. On dirait même qu'il aime ça...

De la nourriture ! Enfin de la nourriture ! Je rêve... Ils me donnent des forces ! Alors... Ils ne vont pas me tuer...

« Maintenant, je vais lui injecter un mélange qui va le remettre en forme, explique Jean en s'emparant d'une nouvelle seringue. Il faut le piquer sur le poitrail, là où les muscles sont épais. Tiens-le bien ! Ça y est... »

Jean enfonce presque toute l'aiguille. Alan ferme les yeux tout en maintenant l'oiseau contre lui. Il a mal pour Jonathan qui se débat comme un fou.

Ils m'ont piqué! Ils sont fous! Ils veulent me tuer? D'abord ils me donnent à manger et ensuite ils me font mal. Pourquoi? J'ai sommeil, tout d'un coup. Je sens que je vais m'endormir...

« Encore une piqûre. Ce sera la dernière. Cette fois, c'est un médicament. Après, on le mettra dans un nouveau carton pour qu'il se repose. »

Jonathan est dans un triste état. Il serait probablement mort d'épuisement si Alan ne l'avait pas ramassé. L'enfant pose sa main sur le cœur de l'oiseau pour s'assurer qu'il bat toujours. Puis il dépose son ami dans le carton, tendrement, et le laisse dormir.

5

Mercredi 29 décembre, dans la clinique

CATASTROPHE ! Le jour de Noël, huit jours après l'arrivée des premiers oiseaux mazoutés, des galettes de pétrole ont touché les côtes de Belle-Ile. Une terrible tempête a provoqué l'arrivée des nappes de fioul. Alan a vu des habitants pleurer en découvrant la marée noire. Les criques et les plages sont étouffées par des plaques sombres et visqueuses. On dirait que l'océan a vomi...

Plus de quatre mille oiseaux mazoutés ont déjà été ramassés, surtout des guillemots mais aussi des fous de Bassan, des petits pingouins, des plongeons, des grèbes, des macareux moines et des mouettes. La moitié d'entre eux étaient déjà morts en arrivant sur les plages.

La clinique des oiseaux a déménagé il y a trois jours dans une ancienne prison pour enfants, sur les hauteurs de Le Palais. Ce nouveau site est plus grand. Il va permettre d'accueillir plus d'oiseaux. Jean a déjà été obligé d'envoyer des centaines de guillemots dans des cliniques installées sur le continent à cause du manque de place. Mais Alan a réussi à garder Jonathan auprès de lui. C'est son plus beau cadeau de Noël. Les autres cadeaux ne sont rien à côté. Il faut qu'il reste avec Jonathan. Son ami a tellement besoin de réconfort! Chaque fois qu'Alan lui tend la main, le petit guillemot redresse le cou comme pour lui parler...

Le grand large me manque, petit homme. Je voudrais plonger pour attraper les poissons, flotter sur l'océan avec mes frères et sœurs, sécher mes ailes au soleil. J'ai entendu arriver d'autres amis. Ils sont tous empilés autour de moi. Eux aussi souffrent. C'est un cauchemar. Petit homme... aide-moi à sortir d'ici!...

Jonathan est placé avec onze autres guillemots dans une cellule de la clinique. Alan et Annick ont été désignés pour nettoyer le lieu et nourrir les oiseaux. Ils doivent prendre des précautions pour ne pas apporter de maladies dans la pièce. Ils portent des gants, des sacs en plastique autour des chaussures et un tablier pour protéger leurs vêtements. Il faut remplacer régulièrement les cartons recouverts de crottes d'oiseaux, laver le sol à l'eau chaude et au désinfectant, puis relaver à l'eau froide. Interdit de faire du bruit pour ne pas affoler les oiseaux. Il fait très chaud dans la cellule et les odeurs sont fortes...

Depuis hier, Alan essaie de nourrir les guillemots avec des sprats (des petits harengs). Il va les chercher dans la cuisine de la clinique et les distribue à chaque oiseau. Le garçon aime ses guillemots. Peut-être parce qu'il lit une énorme tristesse dans leurs yeux. Jonathan semble récupérer peu à peu...

On m'a lâché dans un endroit où je peux enfin étendre mes ailes. J'ai du mal à garder mon équilibre. Le petit homme agite du poisson devant mon nez. Il ne parle jamais...

Alan et sa mère massent les pattes des oiseaux avec de l'eau pour qu'elles ne se dessèchent pas. Grâce à la chaleur des radiateurs électriques, leurs protégés ne mourront pas de froid. Alan a très peur pour Jonathan, qui se met à moins manger tout d'un coup.

Il avertit le vétérinaire, qui prépare une piqûre de médicaments. L'oiseau se laisse faire. Il reste immobile, le regard dirigé vers l'enfant...

Le petit homme prend soin de mes pattes. C'est bon! Mais mon jabot me fait très mal. Un humain vient de me piquer. C'est étrange, depuis... ça va un peu mieux. La nuit, je me serre contre mes frères. On se tient chaud entre nous. C'est important de se soutenir...

6

Samedi 1er janvier, 9 heures du matin : l'accident

« **A** LAN ! CRIE ANNICK** dans le salon. Descends ! Jean vient de téléphoner. Les radiateurs électriques sont tombés en panne cette nuit. Des dizaines d'oiseaux sont morts de froid ! »

L'enfant reste pétrifié. Les oiseaux qu'il a secourus... Jonathan... Ce n'est pas vrai ! Pas ça !

Il s'habille en quatrième vitesse, saute sur son vélo et traverse la ville. L'air glacé fouette son visage. Il ne pense qu'à retrouver Jonathan et secourir les guillemots... ses guillemots. En arrivant au centre, il aperçoit des bénévoles qui empilent des cartons remplis de cadavres d'oiseaux.

« Le froid les a tués cette nuit », disent-ils.

De rage, Alan donne un grand coup de pied dans une poubelle. Puis il se précipite dans la cellule de Jonathan et de ses frères. Ils ne sont plus là ! Ils ont été jetés avec les autres oiseaux morts ! Alan reste debout, paralysé. Puis il s'assoit sur le sol et fond en larmes.

« Alan, lance soudain Jean. Dépêche-toi ! Tes oiseaux t'attendent. Je les ai déplacés dans la cellule la mieux chauffée. »

Le garçon n'en croit pas ses oreilles.

Il saute et déboule dans une pièce au fond du couloir. Les oiseaux sont là ! En piteux état, mais vivants. Jonathan se traîne jusqu'à lui. Il semble lui faire la fête...

Mon ami est arrivé ! S'il savait comme j'ai tremblé toute la nuit ! J'avais froid... un froid qui me clouait au sol dans cette sale boue noire ! Il a eu peur comme moi. Je le sens. Des gouttes d'eau salées comme la mer s'écoulent de ses yeux. La mer... les poissons... J'ai faim ! Vite, du poisson !...

Jonathan engloutit un hareng, puis se tourne face au radiateur qui vient d'être remis en marche. Les deux ailes écartées, il apprécie la chaleur qui sèche à nouveau son corps.

7

Lundi 3 janvier, adieu à Belle-Ile

LES VACANCES sont terminées. Annick et Alan vont quitter Belle-Ile pour retourner sur le continent. Le garçon est inscrit dans une école qui accueille des jeunes qui ne parlent pas... comme lui. Il va falloir qu'il confie ses oiseaux à une autre personne. Ça lui fait mal au cœur. Hélène, une amie de sa mère, le console. C'est elle qui va le remplacer. Elle promet qu'elle s'occupera bien de ses guille-mots. Avant de partir, Alan va faire ses adieux à ses protégés. Jonathan a l'air de bouder dans son coin. L'enfant lui tend un poisson. Il ne parle pas et pourtant... il a l'impression que l'oi-seau le comprend. Jonathan s'approche en se dandinant. Il est encore recouvert de goudron, mais un peu moins qu'à son arrivée.

Alan caresse le bout du bec de son ami, puis se lève et quitte la cellule. Il s'éloigne dans le couloir en pleurant. Jonathan se sent abandonné...

Le petit homme ne nous a pas donné à manger comme les autres jours. J'ai peur de ne plus le revoir. J'avais la même peur quand j'étais petit et que mes parents s'envolaient du haut de la falaise pour planer au-dessus de l'océan. Je ne voulais pas rester seul... Qu'est-ce que je vais devenir ?...

... Dans son école, Alan n'écoute pas quand sa maîtresse lui parle. Sa tête est ailleurs, avec Jonathan. À la maison, c'est la même chose. L'enfant a le cœur tellement lourd...

« Tu ne manges pas ? » se fâche Annick.

Non, Alan ne mange pas. Il veut retrouver Jonathan. Son ami a besoin de lui. Il le sait.

Pendant trois jours, Alan refuse de travailler à l'école. Il refuse de communiquer, même avec sa mère.

Le vendredi matin, en arrivant dans la classe, il voit la maîtresse en grande conversation avec Annick. Sa mère arrive vers lui en demandant :

« Tu voudrais retourner à Belle-Ile ? »

Alan lui adresse le plus beau sourire du monde.

8

Samedi 8 janvier, retour à Belle-Ile

SUR LE BATEAU qui le ramène à Belle-Ile, Alan pense à Jonathan qu'il va retrouver. Son cœur bat très fort. À peine a-t-il posé le pied sur le quai qu'il court en direction de la clinique.

« Alan! Attends-moi! » crie Annick.

Quand le garçon arrive avec sa mère à la clinique des oiseaux, Hélène est dans la cellule de Jonathan en train de nettoyer le sol. Elle est drôlement surprise.

« Vous êtes revenus ?! s'exclame-t-elle. Ça tombe bien ! Le démazoutage commence aujourd'hui. »

L'enfant compte ses oiseaux. Ils sont tous là ! Il cherche Jonathan des yeux. Le voilà qui s'approche en poussant de petits cris...

Il est là ! Il est revenu ! C'est lui ! Je savais qu'il ne m'abandonnerait pas ! La Terre peut trembler... le ciel peut gronder... Rien ne pourra m'empêcher de survivre... parce que mon ami est là !...

Alan est heureux. Il serre Jonathan contre lui... pas trop fort pour ne pas lui faire mal.

Cet après-midi-là, Jean choisit les cinq guillemots les plus en forme pour tenter un démazoutage. Jonathan est parmi eux.

« Peux-tu me remplir une bassine d'eau chaude ? » demande-t-il à Alan.

Jean y verse une petite quantité d'un produit qui permet d'agir sur le fioul. Jonathan se débat dans tous les sens mais Alan le tient fermement.

Quatre lavages sont nécessaires pour enlever le mazout. À chaque rinçage, une eau mousseuse et noire s'écoule dans les égouts. Jonathan est trempé, mais quel plaisir de découvrir son ventre blanc!

Miracle! La boue noire a enfin quitté mon corps! Je suis heureux, heureux, heureux! Mon ventre est redevenu blanc comme l'écume des vagues, blanc comme les nuages. Au début, j'ai cru qu'ils voulaient me tuer! Heureusement que mon ami était là avec son regard réconfortant... Je n'ai pas encore vu le ciel et l'océan... Pourrai-je bientôt les voir?

« Si on ne le rince pas bien, dit Jean, le produit de nettoyage risque de rester sous ses plumes. Ça pourrait l'empêcher de flotter et de se protéger du froid. Des oiseaux sont déjà morts à cause de ça dans d'autres cliniques. »

Alan a des frissons. Non, ça n'arrivera pas à Jonathan !

L'oiseau est posé sur une grille exposée à l'air chaud. Il est K.-O. Il écarte un peu les ailes et les secoue de temps en temps. Une fois sec, il est placé dans une salle chauffée, où il retrouve d'autres oiseaux démazoutés qui lissent leurs plumes. Alan a enfin l'impression que toutes ses journées de soins ont servi à quelque chose. Quel spectacle ! Voir les oiseaux si propres lui fait chaud au cœur. Bientôt, Jonathan et ses amis seront placés dans une petite piscine aménagée exprès pour eux.

9

Vendredi 4 février,
la libération

AUJOURD'HUI, le garçon part avec Jean et sa mère sur une plage du nord de la Bretagne. Plusieurs cartons sont à l'intérieur du bus. Ils contiennent chacun un guillemot démazouté.

« Des dizaines de milliers d'oiseaux ont été victimes de la marée noire, explique Jean à ses amis. Seuls quelques centaines seront peut-être sauvés... »

Alan n'est pas encore assez grand pour comprendre les lois des adultes, mais il jure au fond de lui que plus tard, il se battra pour que les marées noires n'existent plus, pour que les pétroliers ne puissent plus jamais faire souffrir ses amis. Le véhicule s'arrête et les cartons sont transportés sur la plage. Beaucoup de curieux sont venus assister au spectacle. Bientôt, tous les cartons sont ouverts, laissant s'échapper les oiseaux. Tous sauf un.

« Celui-là est pour toi », dit Jean à Alan.

L'enfant se baisse et ouvre les battants. Jonathan passe la tête et en profite pour jeter un coup d'œil autour de lui. Le regard de l'oiseau est redevenu vif et plein de malice. L'enfant le caresse, le cœur serré. Jonathan sent l'air du large. Il sort en se débattant légèrement, fait quelques pas et se jette à la mer. Avant de rejoindre les autres guillemots, l'oiseau patauge un peu dans l'eau. La tête tournée vers Alan, il semble avoir du mal à partir...

Adieu, mon ami. Je m'en vais saluer le Soleil. Jamais je n'oublierai ta chaleur, tes larmes aussi. Tout ce que tu as fait pour moi...

Alan part s'asseoir sur un rocher à l'écart de la foule. Jonathan, lui, rejoint les autres guillemots qui flottent au large. Bientôt, tous les oiseaux s'envolent et s'éloignent à l'horizon. La foule applaudit. Alan frémit. Son ami vient de le quitter. Une immense tristesse l'envahit. Le voilà à nouveau seul, perdu dans son silence. Les larmes montent... montent et éclatent au grand jour.

« Annick ! crie soudain Jean. Regarde ! Un oiseau fait demi-tour... »

Alan lève les yeux et distingue une petite silhouette sombre volant au-dessus des vagues. L'ombre s'élève soudain et tourne au-dessus de l'enfant comme pour le saluer. C'est Jonathan. Alan sent alors crépiter un feu au fond de lui. Des flammes surgissent de son cœur et s'étendent à tout son corps. Des mots les chevauchent. Des mots si longtemps enfouis qui cognent, cognent, cognent... et grimpent jusqu'à sa gorge.

L'oiseau vole encore quelques secondes au-dessus de l'enfant, puis regagne le large.

Alan entrouvre alors les lèvres et murmure :

« À bientôt... Jonathan. »